Zin in een reisje

Truus van
Tekeningen   s

 Zwijsen

Met het vliegtuig

'Is er nog soep?' vraagt Vos.
Hij likt zijn kom leeg.
'Ja hoor,' zegt Beer.
'De pan is nog niet leeg.
Het smaakt je, zie ik.'

Beer schept soep op.
Hij neemt zelf ook een kom.
'Eet maar goed, Vos,' zegt hij.
'Nou kan het nog.'

Vos neemt juist een hap soep.
Hij komt met een ruk omhoog.
'Nou kan het nog?' roept hij.
'Wat ben je van plan?
Kook je niet meer voor mij?'

Beer zegt: 'Ik kook graag voor jou.
Maar ik wil ook graag weg.
Ik heb zin in een reisje.
Niet lang, hoor.
Eén week, of twee.'
'Hoe moet dat dan?' roept Vos.
'Wie kookt er dan voor mij?

Ik kan het zelf niet.
Ik mis je soep nu al.
Je kunt niet weggaan, Beer.'

'Je kunt het best zelf,' zegt Beer.
'Ik geef je een pan soep mee.
Die warm je maar op.
Ik wil eens naar oom IJsbeer.
Hij woont ver weg, in IJsland.
Daar moet je met een vliegtuig naartoe.
Dat lijkt me leuk.'

'Met een vliegtuig?' roept Vos.
'Ben je niet goed snik?
Een vliegtuig stort wel eens neer.
In zee, of op het land.
Dat lees ik wel eens in de krant.
Wat zeg ik?
Ik lees het best vaak.
Heel vaak, heel, heel vaak.'

Beer schuift zijn kom weg.
'Is dat waar Vos?' vraagt hij.
'En als ik in het vliegtuig zit?
Dan stort ik ook neer.
Dan kan ik wel doodgaan.
Ik wil nog lang niet dood.
Goed dat je het zegt, Vos.

Ik heb al geen zin meer.
Een reisje lijkt me wel leuk.
Maar niet met het vliegtuig.'

Vos klopt op zijn buik.
Die is dik en rond.
Hij laat een boer.
'Goed,' zegt hij.
'Blijf maar hier, in het bos.'

Met de boot

Beer ligt in bed.
Hij droomt.
Hij zit in een vliegtuig ...
Maar het vliegtuig stort neer.
Het valt, pats, in zee.
Er vaart een schip op zee.
'Help,' gilt Beer.
Maar het schip vaart door.
'Help,' roept Beer nog eens.
Dan ziet hij zijn kast en zijn deur.
'Pff,' zegt hij, 'het was maar een droom.'

Beer maakt wat melk warm.
Hij ziet de boot uit de droom weer.
'Dat kan ook,' zegt hij
'Ik kan met de boot naar IJsland gaan.
Nee ... die reis duurt veel te lang.
Een boot vaart niet snel.
Nee, dat is geen goed plan.'
Beer gaat weer naar bed.
Hij slaapt al gauw.

Met de trein

Beer hoort het lied van de mees.
De zon schijnt op zijn snuit.
'Het is weer dag,' zegt hij.
Vos klopt op de deur.
'Kom erin,' zegt Beer.
'Ik kook gauw pap voor ons.
Weet je wat ik doe?
Ik wil wel op reis gaan.
Maar niet naar IJsland.
Dat is veel te ver.
Ik neem de trein naar Den Haag.
Daar woont neef Beer.
Goed plan, hè?'

Vos krijgt een bord pap.
Hij giet er stroop bij.
Hij neemt een hap.
Mm, die pap smaakt goed.
'Bep pe prein?' vraagt hij.
Hij slikt de hap door.
'Met de trein?' vraagt hij nog eens.
'Zou ik niet doen, Beer.'

'Waarom niet?' vraagt Beer.
'In de trein is het leuk.
Je zit fijn bij het raam.
En je ziet heel veel.'

Vos likt zijn bord schoon.
'Ja,' zegt hij.
'Als je zit wel.
Maar je moet ook wel eens staan.
Wat zeg ik?
Het is druk, druk, druk in de trein.
Je moet vaak staan.
En de trein gaat niet op tijd.

En hij komt niet op tijd aan.
Soms staat hij stil in een veld.
Of in een wei, of in een bos.
Dan mag je er niet uit.
En dat duurt maar ...
Vind jij dat leuk?'

'Is dat waar, Vos?' roept Beer.
'Ik hou niet van lang staan.
Dan word ik heel moe.
Dan kan ik niet eens een dutje doen.
Nee, dat lijkt me niks.
Dan ga ik maar met de bus.'

Vos schrikt.
'Blijf maar in het bos,' zegt hij.
'Hier bij ons is het fijn.
Wat moet jij nou in Den Haag?'

'Je zeurt, Vos,' zegt Beer.
'Ik wil naar mijn neef.
Ik blijf maar een weekje weg.
Dat is niet lang, hoor.
Ik bel snel op.
Of er nog plaats is in de bus.'

Beer belt op.
Hij praat lang ...
Dan legt hij de hoorn neer.
'Ik ben te laat,' zegt hij.
'Er is geen plaats meer.

Zondag niet, maandag niet.
Nou, dan maar geen busreis.
Dan blijf ik maar hier.'
'Heel goed,' zegt Vos.
'Is het al tijd voor sap en koek?'

Met de fiets

Beer maakt sap klaar.
Hij zet een schaal met koekjes neer.
Vos praat.
Maar Beer hoort hem niet.
Hij kijkt uit het raam.
Net of hij ver weg iets ziet.
'Vind je niet?' vraagt Vos.
Beer schrikt op.
'Hè, wat?' vraagt hij.
'Het is fijn in het bos,' roept Vos.
'Vind je ook niet?'

Beer kijkt zijn vriend aan.
'Heel fijn,' zegt hij.
'Maar ik wil graag weg.
Niet lang.
Ik heb zin in een reisje.
Ha, ik weet het.
Ik kan te voet gaan.
Of met de fiets.
Dan zoek ik Wolf eens op.
Die woont in Bos ter Duin.

18

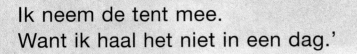

Ik neem de tent mee.
Want ik haal het niet in een dag.'

Beer rent al weg.
Hij pakt zijn rugzak.
'Ho, ho,' roept Vos.
'Zou je dat wel doen, Beer?
Het is een heel eind.
Met wie praat je dan?
Je zult heel eenzaam zijn.
Wil je dat wel?'

Beer zakt op een stoel neer.
'Dat is waar ook,' zegt hij.
'Wil jij niet met me mee?
Dan praat ik met jou.
En je mag bij mij in de tent.
Is dat niet leuk?'

'Ik hou niet van een tent,' zegt Vos.
'En niet van de fiets.
Ik wil best met jou op reis gaan.
Maar niet te voet.
Daar word ik veel te moe van.'
Beer kijkt sip.
'Toe nou, Vos,' zegt hij.
Maar Vos schudt nee.

'Dan gaan we niet te voet,' roept Beer.
'Ik ben blij dat je meegaat.
Dan maar niet met het vliegtuig.
Niet met de boot of de trein.
Of de bus, of de fiets ...
Ik vind er wel iets op.
Ik zorg ervoor dat jij mee kunt gaan.
Dat zoek ik uit.
Haal jij je tas maar.
En kom om twee uur hierheen.'

Op reis

Vos loopt naar huis.
Hij ziet Uil op zijn tak.
En Ree bij haar huis.
Daar komt Haas aan.
En Rat en Muis.
Ze staan om Vos heen.

'Kijk,' zegt Vos.
'Beer heeft zin in een reisje.
Dat snap ik niet.
Ik moet met hem mee.
En daar heb ik geen zin in.
Het kan ook niet.
Er is niks meer om mee op reis te gaan.
Kom maar naar het huis van Beer.
Om twee uur.
Dan zul je het zien.'

Het is twee uur.
Bij het huis van Beer is het druk.
Beer is klaar voor de reis.
Daar heb je Vos ook.
'Hier ben ik,' roept hij.
En dan ziet hij Beer.
Beer veegt het zweet van zijn kop.
'Kijk, Vos,' roept hij.
'We gaan op reis, jij en ik.'
Hij wijst vooruit.
Daar staat een step.
Met een groot pak erop.
En met een tas aan het stuur.
Er staat nog een step naast.
Met een tas en een doos.

Uil klapt.
Das roept: 'Tot ziens, Beer en Vos.'
'Kijk goed uit,' zegt Ree.
'En groet Wolf van me.'

'Um ...' zegt Vos.
'Gaan we met de step?
Dat wil ik ...'
'Zie je wel,' roept Beer.
'Ik wist wel dat je het leuk vond.
Pff, het was veel werk.
Maar nu ben ik klaar.
Gaan we?'

Vos kijkt naar Beer.
Zijn vriend ziet er blij uit.
Hij heeft zin in het reisje.
Vos zegt: 'Vooruit dan maar.'
Hij stapt op en Beer ook.
En daar gaan ze.
'Pas goed op jezelf,' roept Uil nog.
Vos kijkt niet eens meer om.
En Beer ook niet.

Raketjes bij kern 7 van Veilig leren lezen

1. Een land van ... kaas
Monique van der Zanden en
Helen van Vliet
Na ongeveer 21 weken
leesonderwijs

3. Zin in een reisje
Truus van de Waarsenburg en
Ina Hallemans
Na ongeveer 21 weken
leesonderwijs

2. Luus zoekt een schat
Bies van Ede en Mark Baars
Na ongeveer 21 weken
leesonderwijs

ISBN 90.276.6166.9
NUR 287
1e druk 2005

© 2005 Tekst: Truus van de Waarsenburg
Illustraties: Ina Hallemans
Lay-out: Studio Frans Galema
Uitgeverij Zwijsen B.V. Tilburg

Voor België:
Zwijsen-Infoboek, Meerhout
D/2005/1919/382